En mémoire de notre Doris, ma maman formidable,
et à Jane, merveilleuse mère de nos enfants.

A. B.

Texte traduit de l'anglais par Isabel Finkenstaedt

ISBN 978-2-211-08187-0

Titre de l'ouvrage original: MY MUM (Random House Children's Books)
Loi n° 49 956 du 16 juillet 1949 sur les publications
destinées à la jeunesse : mars 2005
Dépôt légal : janvier 2019
Imprimé en France par Pollina à Luçon - 87877

Anthony Browne

Ma maman

kaléidoscope
les lutins de l'école des loisirs
11, rue de Sèvres, Paris 6e

Elle est bien, ma maman.

Ma maman est une cuisinière extraordinaire,

et une jongleuse prodigieuse.

Elle peint admirablement,

et c'est la femme la plus FORTE du monde.

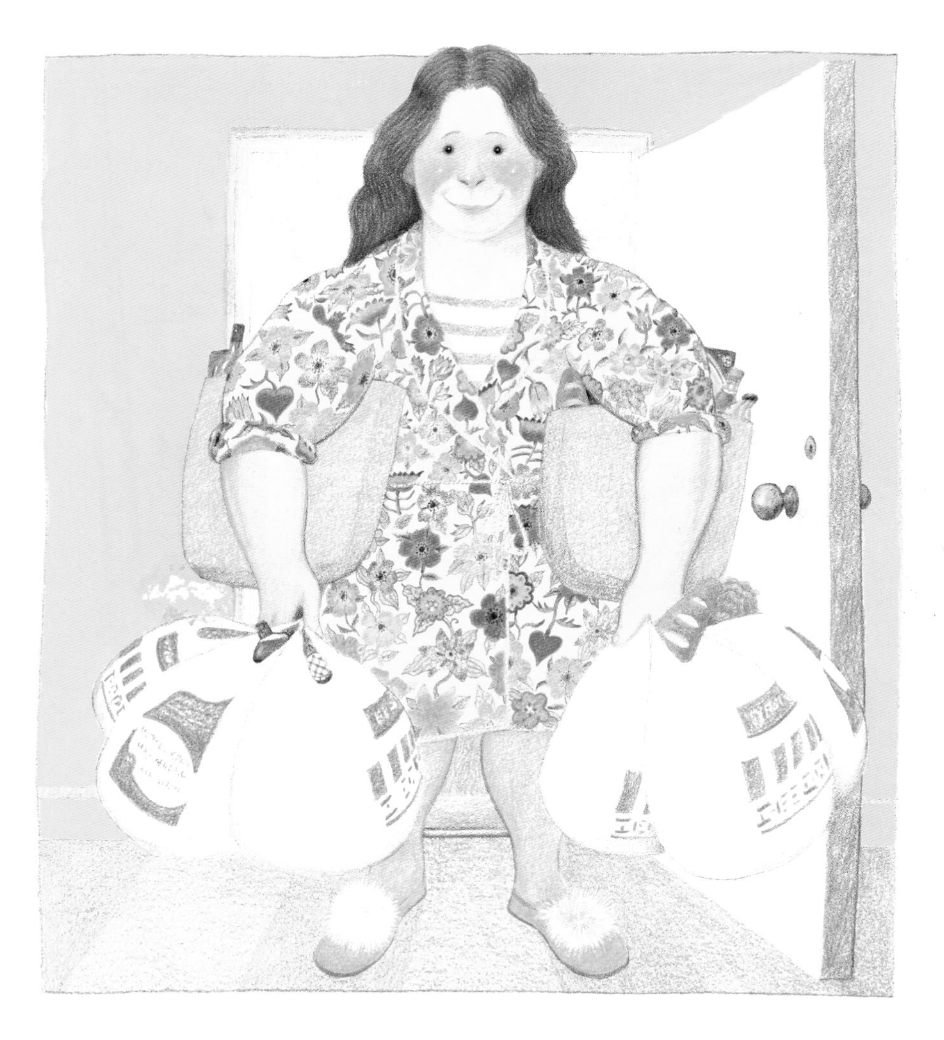

Elle est vraiment bien, ma maman.

Ma maman a les mains vertes,
elle peut faire pousser N'IMPORTE QUOI.

Et c’est une bonne fée.
Quand je suis triste, elle me fait rire.

Elle chante comme un ange,

et rugit comme un lion.

Elle est vraiment, VRAIMENT bien,
ma maman.

Ma maman est belle comme un papillon,

et moelleuse
comme un
fauteuil.

Elle est douce comme un chaton,

et costaude comme un rhinocéros.

Elle est vraiment, VRAIMENT,
VRAIMENT bien, ma maman.

Ma maman pourrait être danseuse,

ou astronaute.

Elle pourrait être vedette de cinéma,

ou grand patron. Mais c'est MA maman.

C'est une SUPERMAMAN.

Et elle me fait rire. Beaucoup.

J’aime ma maman.
Et vous savez quoi ?

ELLE M'AIME !

(Et elle m'aimera toujours.)